Published by Danilo Promotions Ltd. Unit 3, The io Centre, Lea Road, Waltham Abbey, EN9 1AS, England.
Enquiries: **info@danilo.com** For all other information: **www.danilo.com**

Manufactured in China.

PERSONAL INFORMATION

NAME:

ADDRESS:

MOBILE:

EMAIL:

IN CASE OF EMERGENCY PLEASE CONTACT

NAME:

ADDRESS:

MOBILE:

DOCTOR:

DOCTOR TELEPHONE:

KNOWN ALLERGIES:

JANUARY

WK	M	T	W	T	F	S	S
52						1	2
1	3	4	5	6	7	8	9
2	10	11	12	13	14	15	16
3	17	18	19	20	21	22	23
4	24	25	26	27	28	29	30
5	31						

FEBRUARY

WK	M	T	W	T	F	S	S
5		1	2	3	4	5	6
6	7	8	9	10	11	12	13
7	14	15	16	17	18	19	20
8	21	22	23	24	25	26	27
9	28						

MARCH

WK	M	T	W	T	F	S	S
9		1	2	3	4	5	6
10	7	8	9	10	11	12	13
11	14	15	16	17	18	19	20
12	21	22	23	24	25	26	27
13	28	29	30	31			

APRIL

WK	M	T	W	T	F	S	S
13					1	2	3
14	4	5	6	7	8	9	10
15	11	12	13	14	15	16	17
16	18	19	20	21	22	23	24
17	25	26	27	28	29	30	

MAY

WK	M	T	W	T	F	S	S
17							1
18	2	3	4	5	6	7	8
19	9	10	11	12	13	14	15
20	16	17	18	19	20	21	22
21	23	24	25	26	27	28	29
22	30	31					

JUNE

WK	M	T	W	T	F	S	S
22			1	2	3	4	5
23	6	7	8	9	10	11	12
24	13	14	15	16	17	18	19
25	20	21	22	23	24	25	26
26	27	28	29	30			

JULY

WK	M	T	W	T	F	S	S
26					1	2	3
27	4	5	6	7	8	9	10
28	11	12	13	14	15	16	17
29	18	19	20	21	22	23	24
30	25	26	27	28	29	30	31

AUGUST

WK	M	T	W	T	F	S	S
31	1	2	3	4	5	6	7
32	8	9	10	11	12	13	14
33	15	16	17	18	19	20	21
34	22	23	24	25	26	27	28
35	29	30	31				

SEPTEMBER

WK	M	T	W	T	F	S	S
35				1	2	3	4
36	5	6	7	8	9	10	11
37	12	13	14	15	16	17	18
38	19	20	21	22	23	24	25
39	26	27	28	29	30		

OCTOBER

WK	M	T	W	T	F	S	S
39						1	2
40	3	4	5	6	7	8	9
41	10	11	12	13	14	15	16
42	17	18	19	20	21	22	23
43	24	25	26	27	28	29	30
44	31						

NOVEMBER

WK	M	T	W	T	F	S	S
44		1	2	3	4	5	6
45	7	8	9	10	11	12	13
46	14	15	16	17	18	19	20
47	21	22	23	24	25	26	27
48	28	29	30				

DECEMBER

WK	M	T	W	T	F	S	S
48				1	2	3	4
49	5	6	7	8	9	10	11
50	12	13	14	15	16	17	18
51	19	20	21	22	23	24	25
52	26	27	28	29	30	31	

JANUARY

WK	M	T	W	T	F	S	S
52							1
1	2	3	4	5	6	7	8
2	9	10	11	12	13	14	15
3	16	17	18	19	20	21	22
4	23	24	25	26	27	28	29
5	30	31					

FEBRUARY

WK	M	T	W	T	F	S	S
5			1	2	3	4	5
6	6	7	8	9	10	11	12
7	13	14	15	16	17	18	19
8	20	21	22	23	24	25	26
9	27	28					

MARCH

WK	M	T	W	T	F	S	S
9			1	2	3	4	5
10	6	7	8	9	10	11	12
11	13	14	15	16	17	18	19
12	20	21	22	23	24	25	26
13	27	28	29	30	31		

APRIL

WK	M	T	W	T	F	S	S
13						1	2
14	3	4	5	6	7	8	9
15	10	11	12	13	14	15	16
16	17	18	19	20	21	22	23
17	24	25	26	27	28	29	30

MAY

WK	M	T	W	T	F	S	S
18	1	2	3	4	5	6	7
19	8	9	10	11	12	13	14
20	15	16	17	18	19	20	21
21	22	23	24	25	26	27	28
22	29	30	31				

JUNE

WK	M	T	W	T	F	S	S
22				1	2	3	4
23	5	6	7	8	9	10	11
24	12	13	14	15	16	17	18
25	19	20	21	22	23	24	25
26	26	27	28	29	30		

JULY

WK	M	T	W	T	F	S	S
26						1	2
27	3	4	5	6	7	8	9
28	10	11	12	13	14	15	16
29	17	18	19	20	21	22	23
30	24	25	26	27	28	29	30
31	31						

AUGUST

WK	M	T	W	T	F	S	S
31		1	2	3	4	5	6
32	7	8	9	10	11	12	13
33	14	15	16	17	18	19	20
34	21	22	23	24	25	26	27
35	28	29	30	31			

SEPTEMBER

WK	M	T	W	T	F	S	S
35					1	2	3
36	4	5	6	7	8	9	10
37	11	12	13	14	15	16	17
38	18	19	20	21	22	23	24
39	25	26	27	28	29	30	

OCTOBER

WK	M	T	W	T	F	S	S
39							1
40	2	3	4	5	6	7	8
41	9	10	11	12	13	14	15
42	16	17	18	19	20	21	22
43	23	24	25	26	27	28	29
44	30	31					

NOVEMBER

WK	M	T	W	T	F	S	S
44			1	2	3	4	5
45	6	7	8	9	10	11	12
46	13	14	15	16	17	18	19
47	20	21	22	23	24	25	26
48	27	28	29	30			

DECEMBER

WK	M	T	W	T	F	S	S
48					1	2	3
49	4	5	6	7	8	9	10
50	11	12	13	14	15	16	17
51	18	19	20	21	22	23	24
52	25	26	27	28	29	30	31

2022

New Year's Day	**JAN 1**
New Year's Day Holiday	**JAN 3**
Bank Holiday (Scotland)	**JAN 4**
Chinese New Year (Tiger)	**FEB 1**
Valentine's Day	**FEB 14**
St. David's Day (Wales) / Shrove Tuesday	**MAR 1**
St. Patrick's Day	**MAR 17**
Daylight Saving Time Starts / Mothering Sunday	**MAR 27**
Ramadan Begins	**APR 2**
Good Friday / Passover Begins	**APR 15**
Easter Sunday	**APR 17**
Easter Monday	**APR 18**
St. George's Day	**APR 23**
Early May Bank Holiday	**MAY 2**
Star Wars Day	**MAY 4**
Queen's Platinum Jubilee Bank Holiday	**JUN 2**
Queen's Platinum Jubilee Bank Holiday	**JUN 3**
Father's Day	**JUN 19**
Battle of the Boyne (Northern Ireland)	**JUL 12**
Islamic New Year Begins	**JUL 29**
Summer Bank Holiday (Scotland)	**AUG 1**
Summer Bank Holiday (ENG, NIR, WAL)	**AUG 29**
The United Nations International Day of Peace	**SEPT 21**
Rosh Hashanah (Jewish New Year) Begins	**SEPT 25**
Yom Kippur Begins	**OCT 4**
World Mental Health Day	**OCT 10**
Diwali	**OCT 24**
Daylight Saving Time Ends	**OCT 30**
Halloween	**OCT 31**
Guy Fawkes Night	**NOV 5**
Remembrance Sunday	**NOV 13**
St. Andrew's Day (Scotland)	**NOV 30**
Christmas Day	**DEC 25**
Boxing Day	**DEC 26**
Bank Holiday	**DEC 27**
New Year's Eve	**DEC 31**

JANUARY	FEBRUARY	MARCH
1 S	1 T	1 T
2 S	2 W	2 W
3 M	3 T	3 T
4 T	4 F	4 F
5 W	**5 S**	**5 S**
6 T	**6 S**	**6 S**
7 F	7 M	7 M
8 S	8 T	8 T
9 S	9 W	9 W
10 M	10 T	10 T
11 T	11 F	11 F
12 W	**12 S**	**12 S**
13 T	**13 S**	**13 S**
14 F	14 M	14 M
15 S	15 T	15 T
16 S	16 W	16 W
17 M	17 T	17 T
18 T	18 F	18 F
19 W	**19 S**	**19 S**
20 T	**20 S**	**20 S**
21 F	21 M	21 M
22 S	22 T	22 T
23 S	23 W	23 W
24 M	24 T	24 T
25 T	25 F	25 F
26 W	**26 S**	**26 S**
27 T	**27 S**	**27 S**
28 F	28 M	28 M
29 S		29 T
30 S		30 W
31 M		31 T

APRIL		MAY		JUNE	
1 F		**1 S**		1 W	
2 S		2 M		2 T	
3 S		3 T		3 F	
4 M		4 W		**4 S**	
5 T		5 T		**5 S**	
6 W		6 F		6 M	
7 T		**7 S**		7 T	
8 F		**8 S**		8 W	
9 S		9 M		9 T	
10 S		10 T		10 F	
11 M		11 W		**11 S**	
12 T		12 T		**12 S**	
13 W		13 F		13 M	
14 T		**14 S**		14 T	
15 F		**15 S**		15 W	
16 S		16 M		16 T	
17 S		17 T		17 F	
18 M		18 W		**18 S**	
19 T		19 T		**19 S**	
20 W		20 F		20 M	
21 T		**21 S**		21 T	
22 F		**22 S**		22 W	
23 S		23 M		23 T	
24 S		24 T		24 F	
25 M		25 W		**25 S**	
26 T		26 T		**26 S**	
27 W		27 F		27 M	
28 T		**28 S**		28 T	
29 F		**29 S**		29 W	
30 S		30 M		30 T	
		31 T			

JULY	AUGUST	SEPTEMBER
1 F	1 M	1 T
2 S	2 T	2 F
3 S	3 W	**3 S**
4 M	4 T	**4 S**
5 T	5 F	5 M
6 W	**6 S**	6 T
7 T	**7 S**	7 W
8 F	8 M	8 T
9 S	9 T	9 F
10 S	10 W	**10 S**
11 M	11 T	**11 S**
12 T	12 F	12 M
13 W	**13 S**	13 T
14 T	**14 S**	14 W
15 F	15 M	15 T
16 S	16 T	16 F
17 S	17 W	**17 S**
18 M	18 T	**18 S**
19 T	19 F	19 M
20 W	**20 S**	20 T
21 T	**21 S**	21 W
22 F	22 M	22 T
23 S	23 T	23 F
24 S	24 W	**24 S**
25 M	25 T	**25 S**
26 T	26 F	26 M
27 W	**27 S**	27 T
28 T	**28 S**	28 W
29 F	29 M	29 T
30 S	30 T	30 F
31 S	31 W	

OCTOBER	NOVEMBER	DECEMBER
1 S	1 T	1 T
2 S	2 W	2 F
3 M	3 T	**3 S**
4 T	4 F	**4 S**
5 W	**5 S**	5 M
6 T	**6 S**	6 T
7 F	7 M	7 W
8 S	8 T	8 T
9 S	9 W	9 F
10 M	10 T	**10 S**
11 T	11 F	**11 S**
12 W	**12 S**	12 M
13 T	**13 S**	13 T
14 F	14 M	14 W
15 S	15 T	15 T
16 S	16 W	16 F
17 M	17 T	**17 S**
18 T	18 F	**18 S**
19 W	**19 S**	19 M
20 T	**20 S**	20 T
21 F	21 M	21 W
22 S	22 T	22 T
23 S	23 W	23 F
24 M	24 T	**24 S**
25 T	25 F	**25 S**
26 W	**26 S**	26 M
27 T	**27 S**	27 T
28 F	28 M	28 W
29 S	29 T	29 T
30 S	30 W	30 F
31 M		**31 S**

JANUARY 2022

TO DO:

27 MONDAY

28 TUESDAY

29 WEDNESDAY

30 THURSDAY

New Year's Eve   FRIDAY **31**   **J**

New Year's Day   SATURDAY **01**

SUNDAY **02**

NOTES

T	F	S	S	M	T	W	T	F	S	S	**M**	**T**	**W**	**T**	**F**	**S**	**S**	M	T	W	T	F	S	S	M	T	W	T	F	S
16	17	18	19	20	21	22	23	24	25	26	**27**	**28**	**29**	**30**	**31**	**1**	**2**	3	4	5	6	7	8	9	10	11	12	13	14	15

03 MONDAY

New Year's Day Holiday

04 TUESDAY

Bank Holiday (Scotland)

05 WEDNESDAY

06 THURSDAY

FRIDAY 07

J

SATURDAY 08

SUNDAY 09

NOTES

STAR WARS

S	S	M	T	W	T	F	S	S	M	T	W	T	F	S	S	M	T	W	T	F	S	S	M	T	W	T	F	S	S	M
1	2	3	4	5	6	7	8	9	10	11	12	13	14	15	16	17	18	19	20	21	22	23	24	25	26	27	28	29	30	31

10 MONDAY

11 TUESDAY

12 WEDNESDAY

13 THURSDAY

FRIDAY 14

J

SATURDAY 15

SUNDAY 16

NOTES

STAR WARS

S	S	M	T	W	T	F	S	S	M	T	W	T	F	S	S	M	T	W	T	F	S	S	M	T	W	T	F	S	S	M
1	2	3	4	5	6	7	8	9	10	11	12	13	14	15	16	17	18	19	20	21	22	23	24	25	26	27	28	29	30	31

17 MONDAY

18 TUESDAY

19 WEDNESDAY

20 THURSDAY

FRIDAY 21

J

SATURDAY 22

SUNDAY 23

NOTES

STAR WARS

S	S	M	T	W	T	F	S	S	M	T	W	T	F	S	S	M	T	W	T	F	S	S	M	T	W	T	F	S	S	M
1	2	3	4	5	6	7	8	9	10	11	12	13	14	15	16	17	18	19	20	21	22	23	24	25	26	27	28	29	30	31

24 MONDAY

25 TUESDAY

26 WEDNESDAY

27 THURSDAY

FRIDAY **28**   **J**

SATURDAY **29**

SUNDAY **30**

NOTES

S	S	M	T	W	T	F	S	S	M	T	W	T	F	S	S	M	T	W	T	F	S	S	**M**	**T**	**W**	**T**	**F**	**S**	**S**	M
1	2	3	4	5	6	7	8	9	10	11	12	13	14	15	16	17	18	19	20	21	22	23	**24**	**25**	**26**	**27**	**28**	**29**	**30**	31

FEBRUARY 2022

TO DO:

31 MONDAY

01 TUESDAY

Chinese New Year (Tiger)

02 WEDNESDAY

03 THURSDAY

FRIDAY **04**

F

SATURDAY **05**

SUNDAY **06**

NOTES

S	M	T	W	T	F	S	S	M	T	W	T	F	S	S	**M**	**T**	**W**	**T**	**F**	**S**	**S**	M	T	W	T	F	S	S	M	T
16	17	18	19	20	21	22	23	24	25	26	27	28	29	30	**31**	**1**	**2**	**3**	**4**	**5**	**6**	7	8	9	10	11	12	13	14	15

07 MONDAY

08 TUESDAY

09 WEDNESDAY

10 THURSDAY

FRIDAY 11

F

SATURDAY 12

SUNDAY 13

NOTES

STAR
WARS

T	W	T	F	S	S	**M**	**T**	**W**	**T**	**F**	**S**	**S**	M	T	W	T	F	S	S	M	T	W	T	F	S	S	M
1	2	3	4	5	6	**7**	**8**	**9**	**10**	**11**	**12**	**13**	14	15	16	17	18	19	20	21	22	23	24	25	26	27	28

14 MONDAY

Valentine's Day

15 TUESDAY

16 WEDNESDAY

17 THURSDAY

FRIDAY 18

SATURDAY 19

SUNDAY 20

NOTES

STAR WARS

T	W	T	F	S	S	M	T	W	T	F	S	S	M	T	W	T	F	S	S	M	T	W	T	F	S	S	M
1	2	3	4	5	6	7	8	9	10	11	12	13	**14**	**15**	**16**	**17**	**18**	**19**	**20**	21	22	23	24	25	26	27	28

21 MONDAY

22 TUESDAY

23 WEDNESDAY

24 THURSDAY

FRIDAY 25

F

SATURDAY 26

SUNDAY 27

NOTES

T	W	T	F	S	S	M	T	W	T	F	S	S	M	T	W	T	F	S	S	**M**	**T**	**W**	**T**	**F**	**S**	**S**	M
1	2	3	4	5	6	7	8	9	10	11	12	13	14	15	16	17	18	19	20	**21**	**22**	**23**	**24**	**25**	**26**	**27**	28

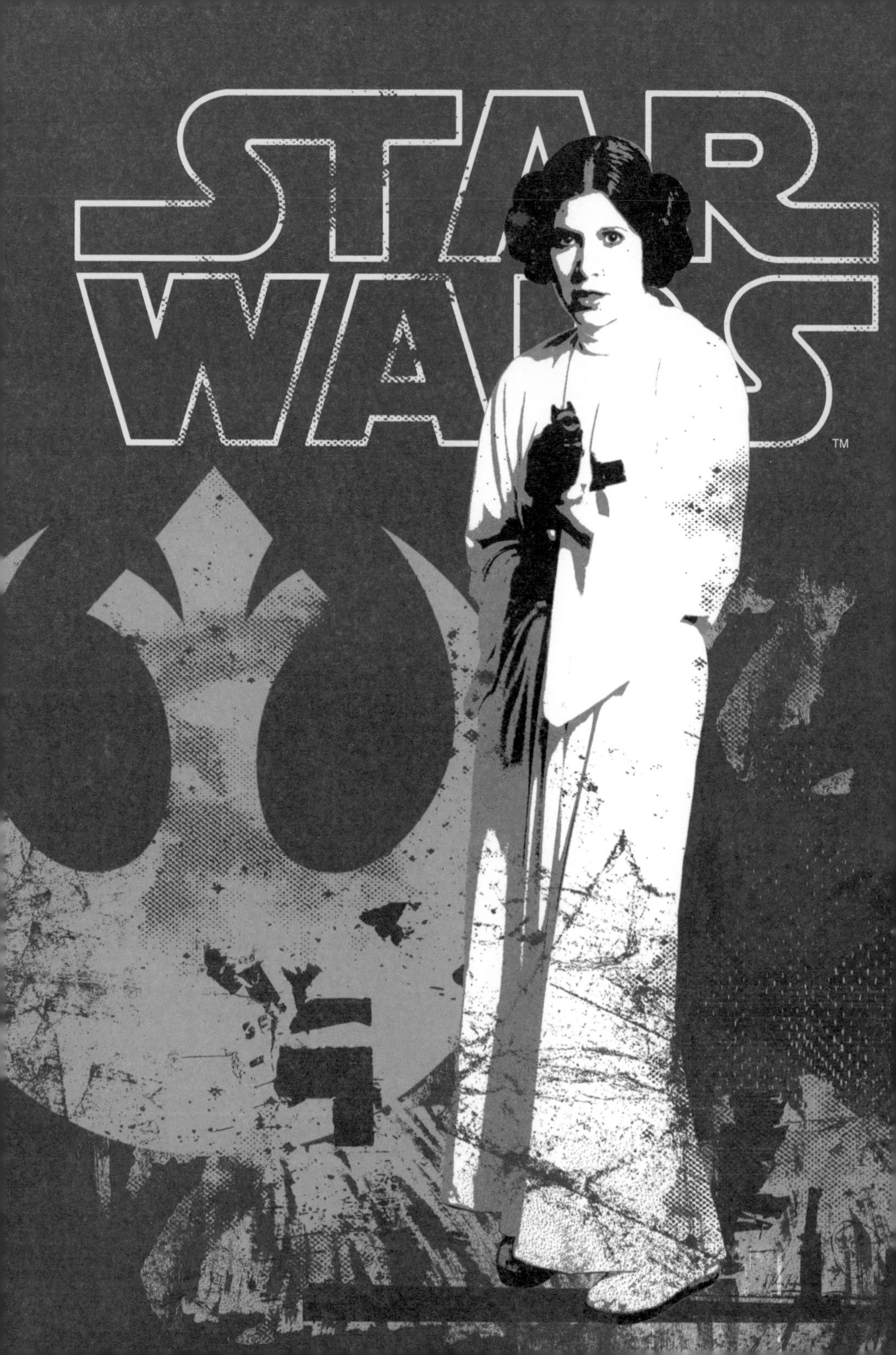
STAR WARS ™

MARCH 2022

TO DO:

28 MONDAY

01 TUESDAY

St. David's Day (Wales) / Shrove Tuesday

02 WEDNESDAY

03 THURSDAY

FRIDAY 04

M

SATURDAY 05

SUNDAY 06

NOTES

T	W	T	F	S	S	M	T	W	T	F	S	S	M	T	W	T	F	S	S	M	T	W	T	F	S	S	M
15	16	17	18	19	20	21	22	23	24	25	26	27	**28**	**1**	**2**	**3**	**4**	**5**	**6**	7	8	9	10	11	12	13	14

07 MONDAY

08 TUESDAY

09 WEDNESDAY

10 THURSDAY

FRIDAY 11

....
....
....
....
....
....

M

SATURDAY 12

....
....
....
....
....
....

SUNDAY 13

....
....
....
....
....
....

NOTES

....
....
....
....

STAR WARS

T W T F S S **M T W T F S S** M T W T F S S M T W T F S S M T W T
1 2 3 4 5 6 **7 8 9 10 11 12 13** 14 15 16 17 18 19 20 21 22 23 24 25 26 27 28 29 30 31

14 MONDAY

15 TUESDAY

16 WEDNESDAY

17 THURSDAY

St. Patrick's Day

FRIDAY **18**

M

SATURDAY **19**

SUNDAY **20**

NOTES

STAR WARS

T	W	T	F	S	S	M	T	W	T	F	S	S	**M**	**T**	**W**	**T**	**F**	**S**	**S**	M	T	W	T	F	S	S	M	T	W	T
1	2	3	4	5	6	7	8	9	10	11	12	13	**14**	**15**	**16**	**17**	**18**	**19**	**20**	21	22	23	24	25	26	27	28	29	30	31

21 MONDAY

22 TUESDAY

23 WEDNESDAY

24 THURSDAY

FRIDAY 25

M

SATURDAY 26

Daylight Saving Time Starts / Mothering Sunday

SUNDAY 27

NOTES

| T | W | T | F | S | S | M | T | W | T | F | S | S | M | T | W | T | F | S | S | M | T | W | T | F | S | S | M | T | W | T |
|1|2|3|4|5|6|7|8|9|10|11|12|13|14|15|16|17|18|19|20|**21**|**22**|**23**|**24**|**25**|**26**|**27**|28|29|30|31|

APRIL 2022

TO DO:

28 MONDAY

29 TUESDAY

30 WEDNESDAY

31 THURSDAY

FRIDAY 01

A

Ramadan Begins

SATURDAY 02

SUNDAY 03

NOTES

04 MONDAY

05 TUESDAY

06 WEDNESDAY

07 THURSDAY

FRIDAY 08

SATURDAY 09

A

SUNDAY 10

NOTES

STAR WARS

F	S	S	**M**	**T**	**W**	**T**	**F**	**S**	**S**	M	T	W	T	F	S	S	M	T	W	T	F	S	S	M	T	W	T	F	S
1	2	3	**4**	**5**	**6**	**7**	**8**	**9**	**10**	11	12	13	14	15	16	17	18	19	20	21	22	23	24	25	26	27	28	29	30

11 MONDAY

12 TUESDAY

13 WEDNESDAY

14 THURSDAY

Good Friday / Passover Begins   FRIDAY 15

A

SATURDAY 16

Easter Sunday   SUNDAY 17

NOTES

F	S	S	M	T	W	T	F	S	S	**M**	**T**	**W**	**T**	**F**	**S**	**S**	S	M	T	W	T	F	S	S	M	T	W	T	F	S
1	2	3	4	5	6	7	8	9	10	**11**	**12**	**13**	**14**	**15**	**16**	**17**	18	19	20	21	22	23	24	25	26	27	28	29	30

18 MONDAY

Easter Monday

19 TUESDAY

20 WEDNESDAY

21 THURSDAY

FRIDAY 22

A

St. George's Day

SATURDAY 23

SUNDAY 24

NOTES

F	S	S	M	T	W	T	F	S	S	M	T	W	T	F	S	S	**M**	**T**	**W**	**T**	**F**	**S**	**S**	M	T	W	T	F	S
1	2	3	4	5	6	7	8	9	10	11	12	13	14	15	16	17	**18**	**19**	**20**	**21**	**22**	**23**	**24**	25	26	27	28	29	30

MAY2022

TO DO:

25 MONDAY

26 TUESDAY

27 WEDNESDAY

28 THURSDAY

FRIDAY 29

....
....
....
....
....
....

SATURDAY 30

....
....
....
....
....
....

SUNDAY 01

....
....
....
....
....
....

NOTES

....
....
....

S	S	M	T	W	T	F	S	S	**M**	**T**	**W**	**T**	**F**	**S**	S	M	T	W	T	F	S	S	M	T	W	T	F	S	S
16	17	18	19	20	21	22	23	24	**25**	**26**	**27**	**28**	**29**	**30**	**1**	2	3	4	5	6	7	8	9	10	11	12	13	14	15

02 MONDAY

Early May Bank Holiday

03 TUESDAY

04 WEDNESDAY

Star Wars Day

05 THURSDAY

FRIDAY 06

SATURDAY 07

M

SUNDAY 08

NOTES

STAR WARS

S	M	T	W	T	F	S	S	M	T	W	T	F	S	S	M	T	W	T	F	S	S	M	T	W	T	F	S	S	M	T
1	2	3	4	5	6	7	8	9	10	11	12	13	14	15	16	17	18	19	20	21	22	23	24	25	26	27	28	29	30	31

09 MONDAY

10 TUESDAY

11 WEDNESDAY

12 THURSDAY

FRIDAY 13

SATURDAY 14

M

SUNDAY 15

NOTES

STAR WARS

S	M	T	W	T	F	S	S	**M**	**T**	**W**	**T**	**F**	**S**	**S**	S	M	T	W	T	F	S	S	M	T	W	T	F	S	S	M	T
1	2	3	4	5	6	7	8	**9**	**10**	**11**	**12**	**13**	**14**	**15**	16	17	18	19	20	21	22	23	24	25	26	27	28	29	30	31

16 MONDAY

17 TUESDAY

18 WEDNESDAY

19 THURSDAY

FRIDAY 20

SATURDAY 21

M

SUNDAY 22

NOTES

S M T W T F S S M T W T F S S **M T W T F S S** M T W T F S S M T
1 2 3 4 5 6 7 8 9 10 11 12 13 14 15 **16 17 18 19 20 21 22** 23 24 25 26 27 28 29 30 31

23 MONDAY

24 TUESDAY

25 WEDNESDAY

26 THURSDAY

FRIDAY 27

SATURDAY 28

M

SUNDAY 29

NOTES

S M T W T F S S M T W T F S S M T W T F S S **M T W T F S S** M T
1 2 3 4 5 6 7 8 9 10 11 12 13 14 15 16 17 18 19 20 21 22 **23 24 25 26 27 28 29** 30 31

JUNE2022

TO DO:

30 MONDAY

31 TUESDAY

01 WEDNESDAY

02 THURSDAY

Queen's Platinum Jubilee Bank Holiday

Queen's Platinum Jubilee Bank Holiday

FRIDAY 03

....
....
....
....
....
....
....

SATURDAY 04

....
....
....
....
....
....

SUNDAY 05

....
....
....
....
....
....

NOTES

....
....
....
....

M	T	W	T	F	S	S	M	T	W	T	F	S	S	M	T	**W**	**T**	**F**	**S**	**S**	M	T	W	T	F	S	S	M	T	W
16	17	18	19	20	21	22	23	24	25	26	27	28	29	**30**	**31**	**1**	**2**	**3**	**4**	**5**	6	7	8	9	10	11	12	13	14	15

06 MONDAY

07 TUESDAY

08 WEDNESDAY

09 THURSDAY

FRIDAY 10

SATURDAY 11

J

SUNDAY 12

NOTES

STAR WARS

W	T	F	S	S	**M**	**T**	**W**	**T**	**F**	**S**	**S**	M	T	W	T	F	S	S	M	T	W	T	F	S	S	M	T	W	T
1	2	3	4	5	**6**	**7**	**8**	**9**	**10**	**11**	**12**	13	14	15	16	17	18	19	20	21	22	23	24	25	26	27	28	29	30

13 MONDAY

14 TUESDAY

15 WEDNESDAY

16 THURSDAY

FRIDAY 17

SATURDAY 18

J

Father's Day   SUNDAY 19

NOTES

STAR WARS

| W | T | F | S | S | M | T | W | T | F | S | S | **M** | **T** | **W** | **T** | **F** | **S** | **S** | M | T | W | T | F | S | S | M | T | W | T |
| 1 | 2 | 3 | 4 | 5 | 6 | 7 | 8 | 9 | 10 | 11 | 12 | **13** | **14** | **15** | **16** | **17** | **18** | **19** | 20 | 21 | 22 | 23 | 24 | 25 | 26 | 27 | 28 | 29 | 30 |

20 MONDAY

21 TUESDAY

22 WEDNESDAY

23 THURSDAY

FRIDAY 24

SATURDAY 25

J

SUNDAY 26

NOTES

STAR WARS

W	T	F	S	S	M	T	W	T	F	S	S	M	T	W	T	F	S	S	M	T	W	T	F	S	S	M	T	W	T
1	2	3	4	5	6	7	8	9	10	11	12	13	14	15	16	17	18	19	**20**	**21**	**22**	**23**	**24**	**25**	**26**	27	28	29	30

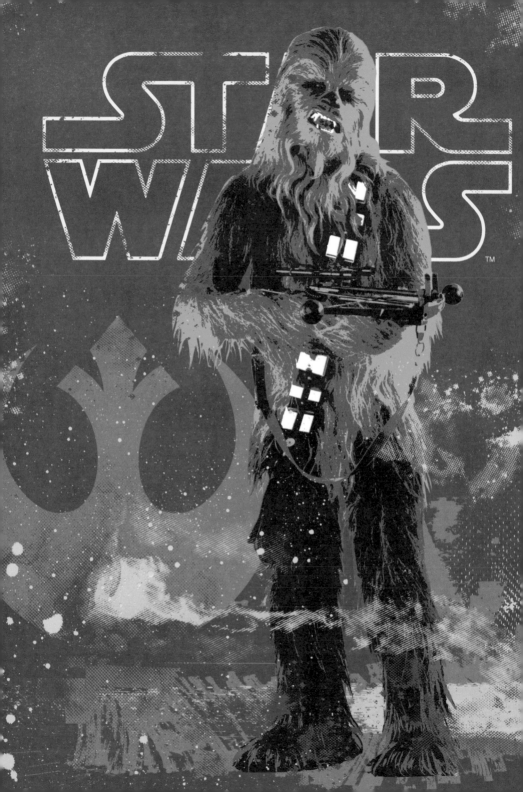

JULY 2022

TO DO:

27 MONDAY

28 TUESDAY

29 WEDNESDAY

30 THURSDAY

FRIDAY 01

SATURDAY 02

SUNDAY 03

NOTES

T	F	S	S	M	T	W	T	F	S	S	M	T	W	T	F	S	S	M	T	W	T	F	S	S	M	T	W	T	F
16	17	18	19	20	21	22	23	24	25	26	**27**	**28**	**29**	**30**	**1**	**2**	**3**	4	5	6	7	8	9	10	11	12	13	14	15

04 MONDAY

05 TUESDAY

06 WEDNESDAY

07 THURSDAY

FRIDAY 08

SATURDAY 09

J

SUNDAY 10

NOTES

11 MONDAY

12 TUESDAY

Battle of the Boyne (Northern Ireland)

13 WEDNESDAY

14 THURSDAY

FRIDAY 15

SATURDAY 16

J

SUNDAY 17

NOTES

18 MONDAY

19 TUESDAY

20 WEDNESDAY

21 THURSDAY

FRIDAY 22

....
....
....
....
....
....
....
....

SATURDAY 23

....
....
....
....
....
....
....
....

J

SUNDAY 24

....
....
....
....
....
....
....
....

NOTES

....
....
....
....

STAR WARS

F	S	S	M	T	W	T	F	S	S	M	T	W	T	F	S	S	M	T	W	T	F	S	S	M	T	W	T	F	S	S
1	2	3	4	5	6	7	8	9	10	11	12	13	14	15	16	17	**18**	**19**	**20**	**21**	**22**	**23**	**24**	25	26	27	28	29	30	31

25 MONDAY

26 TUESDAY

27 WEDNESDAY

28 THURSDAY

Islamic New Year Begins

FRIDAY 29

SATURDAY 30

J

SUNDAY 31

NOTES

STAR WARS

F	S	S	M	T	W	T	F	S	S	M	T	W	T	F	S	S	M	T	W	T	F	S	S	M	T	W	T	F	S	S
1	2	3	4	5	6	7	8	9	10	11	12	13	14	15	16	17	18	19	20	21	22	23	24	25	26	27	28	29	30	31

AUGUST 2022

TO DO:

01 MONDAY

Summer Bank Holiday (Scotland)

02 TUESDAY

03 WEDNESDAY

04 THURSDAY

FRIDAY 05

SATURDAY 06

SUNDAY 07

A

NOTES

M T W T F S S M T W T F S S M T W T F S S M T W T F S S M T W
1 2 3 4 5 6 7 8 9 10 11 12 13 14 15 16 17 18 19 20 21 22 23 24 25 26 27 28 29 30 31

08 MONDAY

09 TUESDAY

10 WEDNESDAY

11 THURSDAY

FRIDAY 12

SATURDAY 13

SUNDAY 14

A

NOTES

M T W T F S S **M T W T F S S** M T W T F S S M T W T F S S M T W
1 2 3 4 5 6 7 **8 9 10 11 12 13 14** 15 16 17 18 19 20 21 22 23 24 25 26 27 28 29 30 31

15 MONDAY

16 TUESDAY

17 WEDNESDAY

18 THURSDAY

FRIDAY 19

SATURDAY 20

SUNDAY 21

A

NOTES

STAR WARS

M T W T F S S M T W T F S S **M T W T F S S** M T W T F S S M T W
1 2 3 4 5 6 7 8 9 10 11 12 13 14 **15 16 17 18 19 20 21** 22 23 24 25 26 27 28 29 30 31

22 MONDAY

23 TUESDAY

24 WEDNESDAY

25 THURSDAY

FRIDAY 26

....
....
....
....
....
....

SATURDAY 27

....
....
....
....
....
....

SUNDAY 28

A

....
....
....
....
....

NOTES

....
....
....

M	T	W	T	F	S	S	M	T	W	T	F	S	S	M	T	W	T	F	S	S	**M**	**T**	**W**	**T**	**F**	**S**	**S**	M	T	W
1	2	3	4	5	6	7	8	9	10	11	12	13	14	15	16	17	18	19	20	21	**22**	**23**	**24**	**25**	**26**	**27**	**28**	29	30	31

SEPTEMBER 2022

TO DO:

29 MONDAY

Summer Bank Holiday (ENG, NIR, WAL)

30 TUESDAY

31 WEDNESDAY

01 THURSDAY

FRIDAY 02

....

....

....

....

....

SATURDAY 03

....

....

....

....

....

SUNDAY 04

....

....

....

....

....

NOTES

....

....

....

T	W	T	F	S	S	M	T	W	T	F	S	S	M	T	W	T	F	S	S	M	T	W	T	F	S	S	M	T	W	T
16	17	18	19	20	21	22	23	24	25	26	27	28	**29**	**30**	**31**	1	2	3	4	5	6	7	8	9	10	11	12	13	14	15

05 MONDAY

06 TUESDAY

07 WEDNESDAY

08 THURSDAY

FRIDAY 09

SATURDAY 10

SUNDAY 11

S

NOTES

STAR WARS

T	F	S	S	**M**	**T**	**W**	**T**	**F**	**S**	**S**	M	T	W	T	F	S	S	M	T	W	T	F	S	S	M	T	W	T	F
1	2	3	4	**5**	**6**	**7**	**8**	**9**	**10**	**11**	12	13	14	15	16	17	18	19	20	21	22	23	24	25	26	27	28	29	30

12 MONDAY

13 TUESDAY

14 WEDNESDAY

15 THURSDAY

FRIDAY 16

....
....
....
....
....
....
....

SATURDAY 17

....
....
....
....
....
....
....

SUNDAY 18

S

....
....
....
....
....
....
....

NOTES

....
....
....
....

T	F	S	S	M	T	W	T	F	S	S	**M**	**T**	**W**	**T**	**F**	**S**	**S**	M	T	W	T	F	S	S	M	T	W	T	F
1	2	3	4	5	6	7	8	9	10	11	**12**	**13**	**14**	**15**	**16**	**17**	**18**	19	20	21	22	23	24	25	26	27	28	29	30

19 MONDAY

20 TUESDAY

21 WEDNESDAY

The United Nations International Day of Peace

22 THURSDAY

FRIDAY 23

SATURDAY 24

Rosh Hashanah (Jewish New Year) Begins   SUNDAY 25

S

NOTES

STAR WARS

T	F	S	S	M	T	W	T	F	S	S	M	T	W	T	F	S	S	M	T	W	T	F	S	S	M	T	W	T	F
1	2	3	4	5	6	7	8	9	10	11	12	13	14	15	16	17	18	**19**	**20**	**21**	**22**	**23**	**24**	**25**	26	27	28	29	30

OCTOBER 2022

TO DO:

26 MONDAY

27 TUESDAY

28 WEDNESDAY

29 THURSDAY

FRIDAY 30

SATURDAY 01

SUNDAY 02

NOTES

03 MONDAY

04 TUESDAY

Yom Kippur Begins

05 WEDNESDAY

06 THURSDAY

FRIDAY 07

SATURDAY 08

SUNDAY 09

NOTES

STAR WARS

S S **M T W T F S S** M T W T F S S M T W T F S S M T W T F S S M
1 2 **3 4 5 6 7 8 9** 10 11 12 13 14 15 16 17 18 19 20 21 22 23 24 25 26 27 28 29 30 31

10 MONDAY

World Mental Health Day

11 TUESDAY

12 WEDNESDAY

13 THURSDAY

FRIDAY 14

SATURDAY 15

SUNDAY 16

NOTES

STAR WARS

S	S	M	T	W	T	F	S	S	**M**	**T**	**W**	**T**	**F**	**S**	**S**	M	T	W	T	F	S	S	M	T	W	T	F	S	S	M
1	2	3	4	5	6	7	8	9	**10**	**11**	**12**	**13**	**14**	**15**	**16**	17	18	19	20	21	22	23	24	25	26	27	28	29	30	31

17 MONDAY

18 TUESDAY

19 WEDNESDAY

20 THURSDAY

FRIDAY 21

SATURDAY 22

SUNDAY 23

NOTES

S	S	M	T	W	T	F	S	S	M	T	W	T	F	S	S	**M**	**T**	**W**	**T**	**F**	**S**	**S**	M	T	W	T	F	S	S	M
1	2	3	4	5	6	7	8	9	10	11	12	13	14	15	16	**17**	**18**	**19**	**20**	**21**	**22**	**23**	24	25	26	27	28	29	30	31

24 MONDAY

25 TUESDAY

26 WEDNESDAY

27 THURSDAY

FRIDAY 28

SATURDAY 29

Daylight Saving Time Ends

SUNDAY 30

NOTES

S	S	M	T	W	T	F	S	S	M	T	W	T	F	S	S	M	T	W	T	F	S	S	M	T	W	T	F	S	S	M
1	2	3	4	5	6	7	8	9	10	11	12	13	14	15	16	17	18	19	20	21	22	23	**24**	**25**	**26**	**27**	**28**	**29**	**30**	31

NOVEMBER 2022

TO DO:

31 MONDAY

Halloween

01 TUESDAY

02 WEDNESDAY

03 THURSDAY

FRIDAY 04

....
....
....
....
....
....
....

Guy Fawkes Night

SATURDAY 05

....
....
....
....
....
....
....

SUNDAY 06

....
....
....
....
....
....
....

N

NOTES

....
....
....
....

STAR WARS

S	M	T	W	T	F	S	S	M	T	W	T	F	S	S	**M**	**T**	**W**	**T**	**F**	**S**	**S**	M	T	W	T	F	S	S	M	T
16	17	18	19	20	21	22	23	24	25	26	27	28	29	30	**31**	**1**	**2**	**3**	**4**	**5**	**6**	7	8	9	10	11	12	13	14	15

07 MONDAY

08 TUESDAY

09 WEDNESDAY

10 THURSDAY

FRIDAY 11

SATURDAY 12

Remembrance Sunday   SUNDAY 13

N

NOTES

14 MONDAY

15 TUESDAY

16 WEDNESDAY

17 THURSDAY

FRIDAY 18

SATURDAY 19

SUNDAY 20

NOTES

STAR WARS

T W T F S S M T W T F S S M T W T F S S M T W T F S S M T W
1 2 3 4 5 6 7 8 9 10 11 12 13 **14 15 16 17 18 19 20** 21 22 23 24 25 26 27 28 29 30

21 MONDAY

22 TUESDAY

23 WEDNESDAY

24 THURSDAY

FRIDAY 25

SATURDAY 26

SUNDAY 27

N

NOTES

STAR WARS

T W T F S S M T W T F S S M T W T F S S **M T W T F S S** M T W
1 2 3 4 5 6 7 8 9 10 11 12 13 14 15 16 17 18 19 20 **21 22 23 24 25 26 27** 28 29 30

DECEMBER 2022

TO DO:

28 MONDAY

29 TUESDAY

30 WEDNESDAY   St. Andrew's Day (Scotland)

01 THURSDAY

FRIDAY 02

SATURDAY 03

SUNDAY 04

NOTES

D

W	T	F	S	S	M	T	W	T	F	S	S	M	T	W	T	F	S	S	M	T	W	T	F	S	S	M	T	W	T
16	17	18	19	20	21	22	23	24	25	26	27	**28**	**29**	**30**	**1**	**2**	**3**	**4**	5	6	7	8	9	10	11	12	13	14	15

05 MONDAY

06 TUESDAY

07 WEDNESDAY

08 THURSDAY

FRIDAY **09**

SATURDAY **10**

SUNDAY **11**

NOTES

STAR WARS

D

| T | F | S | S | **M** | **T** | **W** | **T** | **F** | **S** | **S** | M | T | W | T | F | S | S | M | T | W | T | F | S | S | M | T | W | T | F | S |
| 1 | 2 | 3 | 4 | **5** | **6** | **7** | **8** | **9** | **10** | **11** | 12 | 13 | 14 | 15 | 16 | 17 | 18 | 19 | 20 | 21 | 22 | 23 | 24 | 25 | 26 | 27 | 28 | 29 | 30 | 31 |

12 MONDAY

13 TUESDAY

14 WEDNESDAY

15 THURSDAY

FRIDAY 16

SATURDAY 17

SUNDAY 18

NOTES

T	F	S	S	M	T	W	T	F	S	S	**M**	**T**	**W**	**T**	**F**	**S**	**S**	M	T	W	T	F	S	S	M	T	W	T	F	S
1	2	3	4	5	6	7	8	9	10	11	**12**	**13**	**14**	**15**	**16**	**17**	**18**	19	20	21	22	23	24	25	26	27	28	29	30	31

19 MONDAY

20 TUESDAY

21 WEDNESDAY

22 THURSDAY

FRIDAY 23

....
....
....
....
....
....
....
....

SATURDAY 24

....
....
....
....
....
....
....

Christmas Day   SUNDAY 25

....
....
....
....
....
....
....

NOTES

....
....
....

STAR WARS

D

T	F	S	S	M	T	W	T	F	S	S	M	T	W	T	F	S	S	**M**	**T**	**W**	**T**	**F**	**S**	**S**	M	T	W	T	F	S
1	2	3	4	5	6	7	8	9	10	11	12	13	14	15	16	17	18	**19**	**20**	**21**	**22**	**23**	**24**	**25**	26	27	28	29	30	31

26 MONDAY

Boxing Day

27 TUESDAY

Bank Holiday

28 WEDNESDAY

29 THURSDAY

FRIDAY 30

New Year's Eve   SATURDAY 31

New Year's Day   SUNDAY 01

NOTES

STAR WARS

F	S	S	M	T	W	T	F	S	S	M	T	W	T	F	S	S	M	T	W	T	F	S	S	M	T	W	T	F	S	S
16	17	18	19	20	21	22	23	24	25	**26**	**27**	**28**	**29**	**30**	**31**	**1**	2	3	4	5	6	7	8	9	10	11	12	13	14	15

JANUARY	FEBRUARY	MARCH
1 S	1 W	1 W
2 M	2 T	2 T
3 T	3 F	3 F
4 W	**4 S**	**4 S**
5 T	**5 S**	**5 S**
6 F	6 M	6 M
7 S	7 T	7 T
8 S	8 W	8 W
9 M	9 T	9 T
10 T	10 F	10 F
11 W	**11 S**	**11 S**
12 T	**12 S**	**12 S**
13 F	13 M	13 M
14 S	14 T	14 T
15 S	15 W	15 W
16 M	16 T	16 T
17 T	17 F	17 F
18 W	**18 S**	**18 S**
19 T	**19 S**	**19 S**
20 F	20 M	20 M
21 S	21 T	21 T
22 S	22 W	22 W
23 M	23 T	23 T
24 T	24 F	24 F
25 W	**25 S**	**25 S**
26 T	**26 S**	**26 S**
27 F	27 M	27 M
28 S	28 T	28 T
29 S		29 W
30 M		30 T
31 T		31 F

APRIL	MAY	JUNE
1 S	1 M	1 T
2 S	2 T	2 F
3 M	3 W	**3 S**
4 T	4 T	**4 S**
5 W	5 F	5 M
6 T	**6 S**	6 T
7 F	**7 S**	7 W
8 S	8 M	8 T
9 S	9 T	9 F
10 M	10 W	**10 S**
11 T	11 T	**11 S**
12 W	12 F	12 M
13 T	**13 S**	13 T
14 F	**14 S**	14 W
15 S	15 M	15 T
16 S	16 T	16 F
17 M	17 W	**17 S**
18 T	18 T	**18 S**
19 W	19 F	19 M
20 T	**20 S**	20 T
21 F	**21 S**	21 W
22 S	22 M	22 T
23 S	23 T	23 F
24 M	24 W	**24 S**
25 T	25 T	**25 S**
26 W	26 F	26 M
27 T	**27 S**	27 T
28 F	**28 S**	28 W
29 S	29 M	29 T
30 S	30 T	30 F
	31 W	

JULY	AUGUST	SEPTEMBER
1 S	1 T	1 F
2 S	2 W	**2 S**
3 M	3 T	**3 S**
4 T	4 F	4 M
5 W	**5 S**	5 T
6 T	**6 S**	6 W
7 F	7 M	7 T
8 S	8 T	8 F
9 S	9 W	**9 S**
10 M	10 T	**10 S**
11 T	11 F	11 M
12 W	**12 S**	12 T
13 T	**13 S**	13 W
14 F	14 M	14 T
15 S	15 T	15 F
16 S	16 W	**16 S**
17 M	17 T	**17 S**
18 T	18 F	18 M
19 W	**19 S**	19 T
20 T	**20 S**	20 W
21 F	21 M	21 T
22 S	22 T	22 F
23 S	23 W	**23 S**
24 M	24 T	**24 S**
25 T	25 F	25 M
26 W	**26 S**	26 T
27 T	**27 S**	27 W
28 F	28 M	28 T
29 S	29 T	29 F
30 S	30 W	**30 S**
31 M	31 T	

OCTOBER

1	**S**
2	M
3	T
4	W
5	T
6	F
7	**S**
8	**S**
9	M
10	T
11	W
12	T
13	F
14	**S**
15	**S**
16	M
17	T
18	W
19	T
20	F
21	**S**
22	**S**
23	M
24	T
25	W
26	T
27	F
28	**S**
29	**S**
30	M
31	T

NOVEMBER

1	W
2	T
3	F
4	**S**
5	**S**
6	M
7	T
8	W
9	T
10	F
11	**S**
12	**S**
13	M
14	T
15	W
16	T
17	F
18	**S**
19	**S**
20	M
21	T
22	W
23	T
24	F
25	**S**
26	**S**
27	M
28	T
29	W
30	T

DECEMBER

1	F
2	**S**
3	**S**
4	M
5	T
6	W
7	T
8	F
9	**S**
10	**S**
11	M
12	T
13	W
14	T
15	F
16	**S**
17	**S**
18	M
19	T
20	W
21	T
22	F
23	**S**
24	**S**
25	M
26	T
27	W
28	T
29	F
30	**S**
31	**S**

ADDRESS/PHONE NUMBERS

NAME:

ADDRESS:

TELEPHONE: MOBILE:

EMAIL:

NAME:

ADDRESS:

TELEPHONE: MOBILE:

EMAIL:

NAME:

ADDRESS:

TELEPHONE: MOBILE:

EMAIL:

NAME:

ADDRESS:

TELEPHONE: MOBILE:

EMAIL:

NAME:

ADDRESS:

TELEPHONE: MOBILE:

EMAIL:

NAME:

ADDRESS:

TELEPHONE: MOBILE:

EMAIL:

NAME:

ADDRESS:

TELEPHONE: MOBILE:

EMAIL:

NAME:

ADDRESS:

TELEPHONE: MOBILE:

EMAIL:

NAME:

ADDRESS:

TELEPHONE: MOBILE:

EMAIL:

NAME:

ADDRESS:

TELEPHONE: MOBILE:

EMAIL:

NAME:

ADDRESS:

TELEPHONE: MOBILE:

EMAIL:

NAME:

ADDRESS:

TELEPHONE: MOBILE:

EMAIL: